Titre original : *Papasaurus*
© Stephan Lomp, 2017, pour le texte et les illustrations
Tous droits réservés.
La première édition de ce livre a été publiée en anglais
par Chronicle Books LLC, San Francisco, États-Unis.

© Rue du monde, 2017, pour l'édition française
Direction éditoriale et artistique : Alain Serres
ISBN : 978-2-35504-463-2

Ce livre est imprimé sur du papier Condat mat Périgord,
issu de forêts gérées durablement, correspondant
aux normes suivantes : ECF (Elemental Chlorine Free),
sans acide à longue durée de vie,
conforme aux exigences européennes concernant
la teneur en métaux lourds (98/638 CE),
recyclable et biodégradable.

IMPRIM'VERT®

Achevé d'imprimer en mai 2017
sur les presses de l'imprimerie Pollina
à Luçon (85) - France - L80549

Dépôt légal : mai 2017

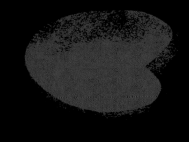

PAPADINO

Texte et images de Stephan Lomp

Adapté de l'anglais (États-Unis)
par Laurana Serres-Giardi

RUE DU MONDE

Bébénosaure
vit dans la jungle
la plus profonde
avec son Papadino.

Ils adorent jouer
à cache-cache.

Voilà que c'est au tour de Papadino de se trouver une cachette.

– 1, 2, 3, 4...

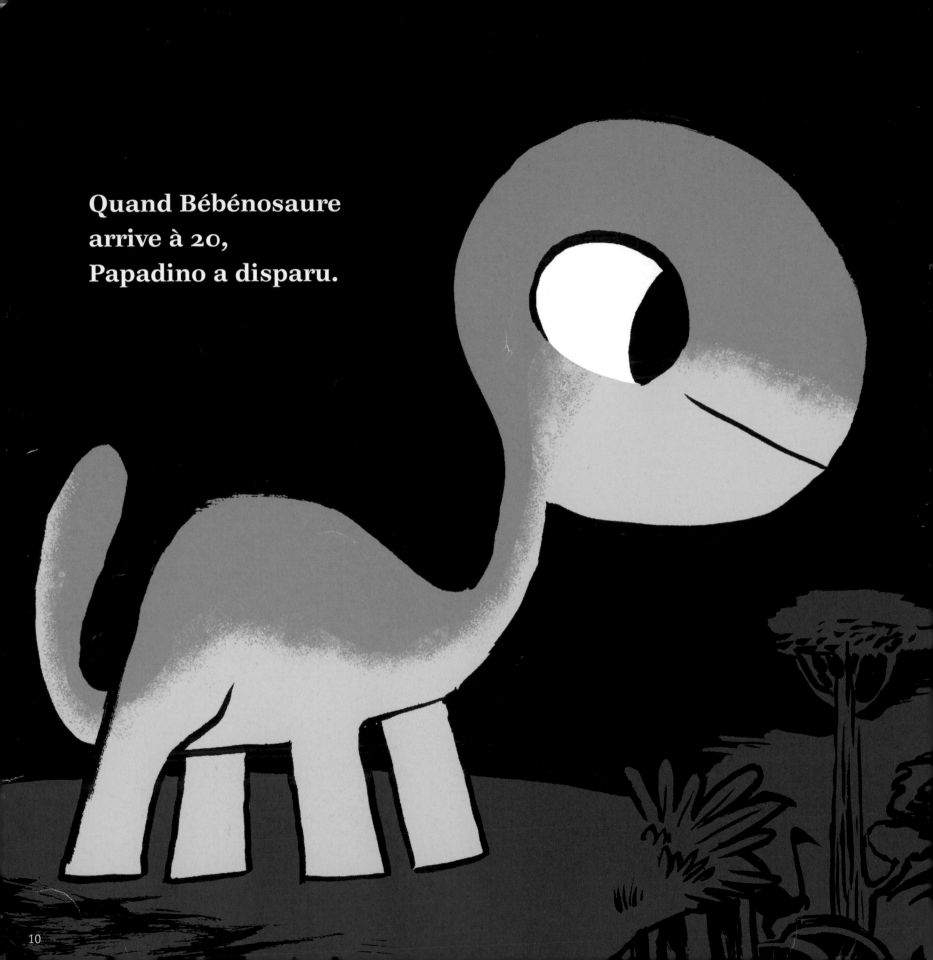

Quand Bébénosaure
arrive à 20,
Papadino a disparu.

Mais Bébénosaure ne trouve que Stégo.
Il l'interroge :
– As-tu vu passer mon papa ?

– Est-ce que son dos
est hérissé de grandes plaques
comme mon papa à moi ?
demande Stégo.

– Non, il a un dos arrondi
et une longue queue sur laquelle
je peux glisser comme sur un toboggan !
explique Bébénosaure.

– Alors non, désolé,
je ne l'ai pas vu,
répond Stégo.

Bébédosaure erre longtemps
dans la jungle touffue, lorsque soudain,
il entend des bruits assourdissants.

Il hurle encore plus fort :
– Excuse-moiii ! As-tu vu mooon papaaaa ?

– Un papa ? Qui peut abattre des arbres
avec sa queue pour cueillir des fruits
et des feuilles pour mon repas ? demande Anky.

– Non ! répond Bébénosaure.
C'est un papa qui se sert de son long cou
pour atteindre les feuilles
les plus délicieuses tout en haut
des plus grands arbres de la jungle.

Anky secoue la tête :
– Alors non, je ne l'ai pas vu.

Bébénosaure rencontre ensuite
la jolie Mosa, qui nage jusqu'à lui.

– As-tu vu mon papa ?
lui demande Bébénosaure.

– Un papa avec de solides nageoires
pour plonger tout au fond de l'eau
comme le mien ? interroge Mosa.

– Non ! répond Bébénosaure.
Mon papa, il a de longues jambes
qui peuvent marcher
d'un bout à l'autre de la jungle.
Et elles sont si hautes que
je peux m'abriter sous son ventre
pour me protéger de la pluie ou du soleil.

– Oh ! s'étonne Mosa.
Eh bien non, je ne l'ai pas vu.
Puis elle s'éloigne en quelques
coups de nageoires.

Bébénosaure est de plus en plus inquiet.
Il accélère le pas et aperçoit Véloci.
– Eh, oh ! crie Bébénosaure.
As-tu vu mon papa, toi ?

– Ton papa ? A-t-il comme le mien
des griffes acérées pour pouvoir
se battre ? demande Véloci.

– Oh, non. Lui, il ne se bat jamais !
rétorque Bébénosaure.
– Désolé, je ne l'ai pas vu, dit Véloci.

Bébénosaure trouve
que ce jeu n'est plus
très drôle lorsque,
soudain, il voit
quelque chose bouger
dans les grandes herbes…

Bébénosaure s'exclame :
–Pas du tout ! Mon papa à moi
est bien plus haut
que ces herbes-là.
Il est gigantesque !
C'est le plus grand
des papas.

– Ben alors, il doit être facile
à trouver ! réplique Edmond.

Bébénosaure ne se laisse pas décourager.
Il prend de la hauteur sur un rocher
pour voir plus loin et réfléchir à la situation.
– Mais où peut bien être passé mon papa ?
se répète-t-il.

Lorsque soudain, il panique :
le sol se met à trembler…

C'est son papa ! Son papa à lui.
– Ah ! Tu étais là ! s'écrie Bébénosaure.
Je t'ai cherché partout, dans toute la jungle !

– Tu es un excellent chercheur !
dit Papadino en faisant un bisou
à son Bébénosaure.
La prochaine fois, c'est toi qui te caches,
et moi qui te recherche, d'accord ?

– **Hourra !** s'exclame Bébénosaure.

– Tu es le meilleur
Papadino
de toute la jungle !